맛 집

마라탕   떡볶이   중국집
닭볶음탕   치킨   삼겹살

~ 야 식 편 ~

글   그림
김채리   초밥
나봄
현소희

※맛으로 승부합니다

최애음식과 함께하는 작가 소개

김채리
나에게 떡볶이는 사랑이다.

패션에 유행이 있듯, 음식도 입소문을 타고 한 철 흐름을 탔다 금세 시들해지기 마련이다. 반면 떡볶이는 어떠한가? 어린 시절 코묻은 돈으로 사 먹던 컵떡볶이가 이제는 배달 용기에 담겨 현관 앞까지 도착하니 끊으려야 끊을 수 없는 떡의 질긴 인연을 닮고 싶은 욕심이 생긴다. 맵고 짠 음식이 몸에 좋지 않다는 전문가들의 고견을 들을 때면 가끔 우리의 사랑이 주춤할지도 모르겠다. 하지만 아직 밝혀낼 곳이 많은 떡볶이 맛집을 더 탐험해 보고 싶다.

나봄
나에게 김치찌개는 엄마다.

7시. 부엌에서 풍기던 김치찌개 냄새에 벌떡 일어나던 아이는, 어른이 되고 추억을 잃었다. 오랜만에 먹는 아침. 끓인 찌개를 먹다 전화를 걸었다. 엄마 손 맛은 영영 못 잊나봐.

현소희

나에게 고기는 애증이다.

삼라만상 모든 동물의 살집이 인간의 양식이 되는 것은 걱정스러우나, 일이 힘든 날에는 두툼하게 썰린 회 한점에 낙관적인 사람이 된다. 참치보다 돼지고기를 넣은 김치찌개를 좋아하며 차돌박이 된장찌개를 사랑한다. 어른이 되어도 좋아하는 음식만 먹을 수 없는 것은 당연하기에 요즘은 고기를 줄이려고 실천 중이다.

초밥

나에게 돈까스는 인생이다.

7살, 돈까스 사장님에게 단골로 인정받고 특혜를 받기 시작했을 때부터 알았다. 나와 돈까스는 떼려야 뗄 수 없겠구나 하고. 이런 정성이 통했는지 내 나이는 몰라도 돈까스를 좋아하는 걸 기억하는 사람들이 수두룩하다. 돈까스 포에버.

차림표

배달책을 열며
부제: 주저하지 말고 배달을!

현소희

오늘도 나는 배달을 기다리기로 했다. 일을 마친 뒤에 요리할 기운도 남아있지 않으면 자연스럽게 배달 어플에 손이 간다. 메뉴를 선택하는 고비만 넘기면 그 다음은 순조롭다. 이제야 배달 서비스를 이용하는 것에 익숙해졌지만, 원래 배달을 즐기지 않았다. 외식을 좋아하지 않는 엄마에게 배달 음식은 오히려 뒤처리가 곤란하고 위생도 신뢰할 수 없는 상품이었다. 스무 살이 될 때까지 황태포를 찢어 넣은 콩나물국을 먹을 수 있었다는 것, 지금이야 운이 좋았다고 생각한다.

배달 음식에 관한 우리 역사를 훑어보면 꽤 오래 전부터 음식을 배달했다는 기록을 찾아볼 수 있다. 조선 후기 실학자 황윤석의 일기 '이재난고'에 냉면을 시켜 먹었다는 언급이 나온다. 또 새벽종이 울릴 때 먹는 국이라는 '효종갱'은 남한산성에서 국을 끓여 한양 사대문까지 배달하는 음식이었다.

이처럼 배달음식은 꽤 유구한 역사를 가지고 있으며 우리는 그 전통(?)을 충실하게 계승하고 있다. 독특한 점은 옛날이나 지금이나 자신이 원하는 공간에서 음식을 누리고 싶은 욕망이 반영되었다는 점이다. 이는 배달이 가지는 엄청난 장점이다. 우리는 배달을 선택하면서 귀찮은 절차를 생략할 수 있다. 옆자리에서 열리는 부서 회식의 떠들석함, 재료구입을 위해 마트나 시장에 가는 시간, 혹은 홀을 차지하기 위한 기다림처럼 말이다.

여전히 우리는 직접 한 요리에 대해서 큰 가치를 부여한다. 집밥 이외에는 정성이 없는 요리라 치부하는 기이한 현상도 있다. 하지만 특별한 날에 외식을 하는 것처럼 때로 배달이 최선의 방법이 되기도 한다. 오늘도 수고한 나 자신을 굶기지 않기 위해 우리는 어플을 켠다. 리뷰를 꼼꼼히 읽어보며 메뉴를 선택하면서 많은 일들을 대신할 수 있다. 이렇게 플랫폼이 주는 분명한 이점 때문에 배달 산업이 갈수록 커지고 있는 것이다.

배달 서비스가 야기하는 복잡한 문제를 외면하려는

것은 아니다. 하지만 나는 황태포 넣은 콩나물국과 어제 시켜 먹은 돼지 국밥을 여전히 좋아한다. 그 음식들은 다른 의미로 나에게 충분한 위로와 힘이 되었다. 이 책을 보고 먹고 싶은 배달 음식이 생겼다면 주저하지 말고 시켜보자. 분명히 그 음식은 당신에게 살아갈 힘을 더해줄 것이다.

마라탕이 싫어요

2인분 이상 배달가능

※유사상품 주의

에세이

김채리

마라탕 12,000원

꿔바로우 9,900원

※가격은 내용과 관계 없습니다.

절취선

음료쿠폰
사이다 1.25L 증정

※주문시
말씀해주세요.

나는 마라탕이 싫다. 이 한 문장을 쓰기 위해서 이 글을 썼다고 해도 과언이 아니다. 마라탕을 좋아한다면 미리 양해를 구하겠다. 읽지 않아도 괜찮다. 내가 마라탕에 대한 '불호'를 표현하는 것처럼 당신도 충분히 내 글을 선호하지 않을 수 있으니.

혹시 조금이라도 내가 마라탕을 싫어하는 이유에 대해서 궁금해졌다면 계속 이 글을 읽어도 좋다. 시답잖은 내용이라 실망할지도 모르겠지만 집중해주길 바란다. 난 지금 몹시 진지하니까.

사건은 내가 마라탕을 처음 먹었던 순간으로 돌아간다.

당시 나는 직장 동료들과 어정쩡한 친분을 유지하기 위해 버둥거리고 있을 때였다. 친구고 가족이고 연인이고 다 육지에 있는 채로 제주에 혼자 떨어져 지내다 보니 만나는 사람이라고는 직장 동료가 전부였다. 저녁을 먹는 자리, 별로 친하지도 않은 인물들 사이에서 나에게 메뉴 결정권이 있을 리 만무했다. 그래서 나는 태어나 처음으로 마라탕을 먹게 되었다. 마라탕이라니! 이미 마라탕이 유행한 지는 몇 년이 지난 터라 SNS나 포털사이트 등지에서 인기를 실감하긴 했지만 내게는 생소한 음식이었다. 천성이 유행을 따르지 못하고 멋대로 살아가던 사람이라 마라탕이 없으면 안 될 것처럼 변해버린 사람들의 모습 때문에 더 거리가 느껴졌다. 그런 나에게 마라탕이라니.

자존심이 조금 상하긴 했지만, 어쩔 수 없었다. 그 무리에서 난 을이었다. 되도록 요구조건에 응하며 불쾌한 감정을 내색하지 않는 것이 나의 사회생활 방침이었다. 그렇게 나는 맛집이라는 마라탕 집에 끌려(?)갔고 어느새 국물에 넣을 재료를 우묵한 그릇에 담고 있었다.

그래 한 번 맛이나 보자, 하루가 멀다고 인스타그램에 마라탕 사진을 올리는 친구의 계정이 생각났다. 그 정도로 먹어대는 걸 보면 맛은 있겠지. 얼마나 맛있길래 이리저리 '마라수혈'을 하고 다녔을까. 긴장된 마음으로 빨간 기름이 떠다니는 국물을 떠먹었다. 마라탕을 처음 먹는다는 나의 말에 경악하던 직장 동료들도 기대에 찬 눈빛으로 나를 바라보았다. 어때요? 맛있죠?

으음…? 처음 든 감상이었다. 이게 무슨 맛이람. 나에겐 맛이 느껴지지 않았다. 아무 맛도 안 나는데요? 있는 그대로 솔직한 감상을 전하는 나의 말에 그들은 처음이라 그렇다고 했다. 그런가? 짬뽕처럼 매콤하고 얼큰한 맛을 기대했는데 화한 느낌만 남는 미끌미끌한 맛에 좀처럼 익숙해지기 어려웠다. 여기가 맛집이 아닌 걸지도 몰라. 일단 첫 번째 마라탕은 실패였다.

그 뒤로도 몇 번 그들과 마라탕을 먹을 일이 생겼다. 정확히 말하면 다른 메뉴를 전혀 고려해주지 않았다. 나는 떡볶이를 먹고 싶었다. 또 달리 말해서 명확하게 의사 표현을 하지 못한 내 잘못도 있겠다. 아무튼 나는 다시 마라탕 앞에 앉았다. 이번엔 진짜 맛집에서 시켰다고 하니까 괜찮겠지? 일단은 나도 집에 초대받은 사람으로서 함께 저녁을 먹어야 했고 그에 대한 값을 치러야 했다. 시뻘건 국물 속에 둥둥 떠다니는 낯선 식재료들이 나를 반겼다. 안녕? 또 보네. 옥수수면, 말린 두부, 중국 당면… 배가 고파서 먹고 그들과 어울리기 위해서 또 먹었다. 동기 없이 홀로 입사했던 터라 의지할 사람이 없었던 나는 어떻게든 사람들과 친해지고 싶었다. 사무실에서 떠드는 그들만의 이야기에 나는 포함되어 있지 않앉으므로. 이방인이라는 외딴섬 속에서 어떻게든 벗어나려 애썼다.

두 번째 마라탕도 별다른 수확을 얻을 수 없었다. 그래도 중국 식재료들의 식감에 조금은 익숙해졌지만, 무어라 설명할 수 없는 낯선 향신료의 느낌이 맛있다는 기분을 주진 못했다. 무슨 맛인지도 모르겠고 배만 부른 채로 좁은 기숙사 방으로 돌아오면 왜인지 모르게 울적한 감정만 남았다.

조금이라도 배려하는 마음이 있었더라면 즐기지 않는 음식을 강요하지 않았겠지, 나를 동등한 입장으로 생각했다면 내가 좋아하는 것을 한 번쯤 물어봤겠지. 좋아하지 않는다는 걸 알면서도 몇 번이고 같은 메뉴만 시키는 그들에게 더는 마음을 쓰고 싶지 않았다. 그렇게 나는 결국 마라탕과 친해지지 못했다. 아니, 친해지고 싶지 않았다.

그로부터 몇 달이 지난 후, 어머니와 전화 통화를 하던 중에 마라탕을 시켜 먹었다는 이야기를 들었다. 마라탕? 그거 맛있어? 어머니는 "으휴"하고 한숨을 내둘렀다. 하도 마라탕이 유행하길래 주문해 먹어본 빨간 국물은 집안 그 누구의 입맛에도 맞지 않아 음식물 쓰레기로 버렸다고 했다. "마라탕 그거 무슨 맛도 없드만." "그치 엄마?" 전화기 너머 흘러들어오는 엄마 목소리가 그 어느 때보다 산뜻했다.

내가 먹은 레시피

100% 국내산 닭 사용

※유사상품 주의

에세이

나 봄

닭볶음탕 25,000원

공기밥 추가 1,000원

※가격은 내용과 관계 없습니다.

오절취선

공기밥 1그릇
무료 추가

※주문시
말씀해주세요.

나는 어른이 될 때까지 닭볶음탕이란 단어와 낯을 가렸다. 어릴 때부터 닭볶음탕을 찜닭이라고 배웠고, 그렇게 평생을 먹고 자랐기 때문이다. 내가 먹은 찜닭과 닭볶음탕이 다른 단어라는 걸 나이를 먹고 다 자라고 나서 알게 되었다. 나는 (내가 별로 좋아하지 않는 간장) 찜닭과, (내가 좋아하는 고추장) 찜닭과, 닭볶음탕이 전부 다른 요리라는 걸 잘 인지하지 못했다. 나중에야 알게 된 사실이지만, 내 고향 경상도에서는 안동찜닭이 유명하다고 했다. 그래서 항상 나는 찜닭 좋아해. 그 찜닭 말고 다른 찜닭. 이 말을 입에 달고 살았다. 지금 돌이켜보니 혼란스러워하던 친구들의 표정이 이해됐다. 쟤는 뭐라는 걸까. 그런 생각을 하지 않았을까 싶다. 하지만 나는 누구보다 내가 먹은 찜닭에 진심이었다.

오늘 저녁은 찜닭이야! 그 무엇보다도 설레는 말이 다른 문장인 걸 알았을 때의 혼란스러움과 밀려오는 괴로움. 찜닭이 간장을 베이스로 한 닭 요리를 지칭한다는 말인 걸 알게 되었을 때는 정말. 시름시름 앓을 정도로 고통스러워했다. 내가 아는 찜닭이 찜닭이 아니었다니. 어떻게 안동찜닭만 찜닭일 수 있지? 나는 친구들을 붙잡고 찜닭의 생김새를 묘사했다. 그러자 친구 한 명이 그랬다. 그거 닭볶음탕 아니야? 나는 도리질 쳤다. 내가 먹은 찜닭은 사람들이 말하는 그런 닭볶음탕이 아니었다고. 하지만 설명할 방법이 없었다. 굳이 엮자면 찜닭보다는 닭볶음탕에 가까웠으니까. 근데 그게 아니라고…. 나는 슬펐다. 홍시라서 홍시라고 하는데 어째서 홍시냐고 묻냐는 장금이의 문장이 머릿속에서 되풀이되는 듯했다. 대학생이 되고 기숙사에 살면서 더 이상 엄마의 요리를 먹지 못할 때가 되었을 때. 찜닭을 시켰는데 간장 양념이 된 안동찜닭이 배달 왔을 때. 국물 많은 닭볶음탕이 내가 아는 찜닭의 대체가 되어야 했을 때. 평생 찜닭은 먹지 못하겠구나, 하는 생각이 들었을 때. 나는 속으로 엄청나게 울었다.

어느 날 찜닭에 엄청나게 집착하는 내게 친구 한 명이 물었다. 나는 머릿속으로 자연스럽게 빨간 양념으로 자작자작하게 조려진 닭 요리를 떠올렸다. 고추장을 큼지막하게 한두 스푼 넣어서 국간장과 설탕을 두어 스푼, 다진 마늘과 고춧가루를 적당한 양으로 한 스푼 첨가한. 양파가 주는 단맛과 감칠맛은 더할 나위 없이 매력적이니까 큼지막한 걸로 한 알. 먹고 또 먹어도 맛있는 감자는 양념을 먹으면 더 맛있으니까 많이. 당근도 없으면

서운하니까 조금. 한입으로 먹기 좋게 댕강댕강 썰다 보니 어느새 한 냄비를 가득 채우는. 보글보글 끓다 보니 닭에 양념이 모두 배어 육즙이 팡팡 터지는. 김이 모락모락 나는 채로 먹기 좋게 접시에 덜어놓은. 양념까지 밥에 싹싹 비벼 먹으면 함포고복할 수 있는 찜닭을 말이다. 내 말을 들은 친구가 고개를 갸웃거렸다. 내가 아는 닭볶음탕은 국물이 많던데 네가 먹은 찜닭은 왜 국물이 별로 없는 느낌이지? 나는 그때 유레카를 외쳤다. 닭볶음탕과 비슷하다고 해서 찜닭 대신으로 인터넷에서 레시피를 보고 만들었을 때, 맛이 영 성에 차지 않던 이유를 찾은 것이다. 나는 친구를 붙잡고 외쳤다. 네가 국물 없는 버전으로 한번 만들어 주면 안 돼? 요리에 일가견이 있는 친구는 흔쾌히 승낙했다. 그리고 친구의 음식을 먹은 그날, 나는 찾아버리고 말았다. 잃어버린 엄마의 손맛을.

지금은 사람들이 무슨 음식을 좋아하냐고 물으면 좋아하지만, 많이 못 먹는 음식으로 닭볶음탕을 이야기하고 다닌다. 그러면 사람들이 되묻는다. 왜 많이 못 먹어요? 그럼 나는 슬픈 눈을 했다. 제가 먹고 자란 닭볶음탕을 만들 줄 아는 사람이 세상에 딱 둘이 있는데요. 한

명(엄마)은 너무 멀리 있고, 한 명(친구)은 닭요리를 좋아하지 않아서 안 만들어 줘요. 사람들이 웃었지만 나는 웃지 못했다. 요즘은 빨간 찜닭이란 이름으로 (간장) 찜닭도 아니고, (내가 아는) 찜닭도 아니고, 그렇다고 닭볶음탕도 아닌 음식이 판매되고 있었다. 궁금해서 한번 시켜 먹은 적이 있다. 역시나 성에 차지 않았다. 간장을 베이스로 한 데에 고춧가루만 첨가된 맛이었으니 말이다. 리뷰를 봤다. 사람들은 맛있다고, 색다른 맛이라고 하는데 나는 영. 입맛이 까탈스러운 편도 아닌데 유달리 찜닭에 대해서는 엄격했다. 나도 왜 그런지 이해가 되지 않을 정도로 말이다.

언제였더라. 찜닭이 너무 먹고 싶어서 엄마에게 메시지를 보낸 적이 있다. 엄마, 찜닭 어떻게 만들어? 나는 진지했는데 엄마는 진지하지 않은 모양이었다. 대수롭지 않은 듯, 쿨내가 진동하는 답장이 왔다. [사 먹어.] 나는 슬픈 마음을 다잡고 다시 보냈다. 엄마, 집에 올라갔을 때 만들어 주면 안 돼? 답장이 왔다. [아니.] 나는 할 말을 잃었다. 이어서 엄마에게서 장문이 왔다. [재료 다 넣고 그냥 만들면 돼. 못 만들겠으면 마트에서 파는 양념 넣고. 근데 별로 맛없긴 하지. 고추장 다 먹었나? 반

찬이랑 해서 보내 줄게.] 나는 입을 앙다물었다. 예전에 레시피를 알려줬는데도 불구하고 분기별로 찜닭이 먹고 싶다고 보채는 딸내미가 영 미덥잖은 모양이다. 나는 다시 문자 메시지를 보냈다. [엄마 나는 왜 그 맛이 안 날까.] 엄마가 그랬다. [입만 고급인가보지.] 할 말이 없었다. 나는 휴대폰을 내려놓았다. 그리고 친구에게 찜닭 먹을 시기가 되지 않았냐고 이야기하며 만들어 달라는 뉘앙스를 풍겼다. 친구는 대답이 없었지만 나는 다짐했다. 조만간 엄마가 보내주는 고추장을 품에 안고 친구를 찾아야겠다고.

1. 닭을 데치고 흐르는 물에 헹군다. 비린내를 없앨 수 있다.
2. 손질된 닭에 물을 조금 넣고 끓여 반쯤 익힌다.
3. 양념장을 넣고 보글보글 끓기 시작했을 때, 먹기 좋은 크기로 잘라 놓은 양파, 당근, 감자 등을 넣는다.
(양념장 꿀tip : 고추장, 간장, 물엿, 설탕, 고춧가루, 매실, 마늘, 생강 등을 적당량 넣고 맛있게 만들어야 한다. 엄마의 음식에는 계량이 없어서 정말로 감으로 해야만 한다.)
4. 어느 정도 국물이 졸아들고 닭과 감자가 익었다 싶을 때, 당면을 넣고 다시 졸인다.
5. 기호에 맞게 간을 추가한다.
6. 맛있게 먹는다.

** 사람마다 맛있다고 느끼는 기준은 다를 수 있습니다.

휘슬

후라이드 참 맛있는 집

※유사상품 주의

소설

현소희

후라이드 18,000원

치즈볼 5,000원

※가격은 내용과 관계 없습니다.

계절 최선 어린이 축구공 교환권 ※소진시 탄산음료 제공

인근에 식당가가 위치한 동네는 저녁이면 주차장이 된다. 차지하려는 차와 끼어드려는 차의 기싸움을 구경하다 틈이 생기자 민영은 얼른 몸을 밀어 넣었다. 뒤에서 들리는 걸쭉한 클랙슨 소리를 무시하고 이어폰을 꺼냈다. 민영은 기필코 냉장고에 있던 된장찌개 밀키트를 처리하려 했다. 파킹 통장을 개설하겠다는 고객을 마지막으로 은행 셔터가 달싹거리며 올라갔고, 민영은 습관처럼 핸드폰 알림을 확인했었다. 답을 미룬 대화창들 위로 동주가 준 기프티콘의 유효기간이 가까워진다는 메시저가 보였다. 마침 계장님이 저녁 메뉴를 물었고 민영은 치킨이라 대답했다. 그 쿠폰은 포장만 가능하다는 가게의 연락은 변수였다.

이럴꺼면 안 썼지. 옷도 갈아입지 않고 침대로 엎어진 민영은 구시렁거렸다. 핸드폰에는 아직도 동주와 찍은 사진들이 수백장 있었다. 사진만 봐도 눈물이 나서 지우지 못한 게 아니라 너무 많아서였다. 사랑은 또 다른 사랑으로 채우듯이 사진도 또 다른 사진으로 채워야 한다며 친구는 술에 찌든 민영의 얼굴을 찍기도 했었다. 하지만 몇십 장의 사진으로는 밀어내기가 역부족이었다. 28살의 칠분의 일밖에 안 되는 시간이 28년을 송두리째

흔들리는 자신의 꼴이 민영은 우습게 느껴졌다.

　민영은 주먹을 쥔 손으로 침대를 팡팡쳤다. 풀썩거리는 이불의 소리가 초라하게 들렸다. 옷장에 있는 야상을 아무렇게나 집어 들고 밖을 나섰다. 눅진눅진한 마스카라 덕분에 눈꺼풀이 무거웠다. 청승 떨지마라. 김민영. 이런 속이야기를 하는 것도 청승 맞아 뇌를 빼버리고 싶었다. 동주는 가끔 민영에게 생각이 너무 많다고 했었다. 민영이 이건 조절할 수 있는 게 아니라고 하자 동주는 고개를 갸웃거렸다. 그냥 마구 나와. 그럼 막아. 고무마개로 틀어막듯이. 그 이후로 민영은 동주와 트러블이 생길 때마다 혹은 동주의 행동이 의심이 갈 때마다 분홍색 고무찰흙을 손가락으로 굴리는 상상을 했었다. 동글동글 말은 찰흙을 구멍에 하나씩 밀어 넣으며 동주에 관한 생각을 줄였다. 벙벙한 야상 소매 안으로 바람이 들어왔고, 추위에 민영의 어깨가 둥글게 말렸다. 언제가 뚫릴 구멍이었다고 민영은 이를 악물었다.

　치킨집 홀에는 테이블이 두개뿐이었다. 한 테이블에는 접어놓은 상자들이 쌓여 있었다. 다른 테이블에는 초록색 캡모자를 쓴 여성이 치킨을 멍하니 쳐다보고 있었다. 민영은 쌔한 느낌이 들어 빠르게 계산대로 눈을 돌렸다. 이건 편견이 아니라 경험치다. 주문번호를 묻던 사장님은 몇 시에 전화했었냐는 질문을 늘어놓으며 횡설수설거렸다. 민영은 어플로 주문했다며 핸드폰 화면을 보여주었다.

"아우, 죄송해요. 주문이 누락된 것 같아요. 오늘 손흥민 경기가 있어요. 여기 축구 동호회가 치킨을 30마리를 시켜서 정신이 없어요."

사장님은 멋쩍은 미소를 지었고, 민영은 아무 말도 할 수 없었다. 주방에는 알바생들이 정신없이 뛰어다녔다. 천정에 달린 텔레비전에는 정말로 토트넘 경기가 한창이었다. 상대 팀이 누구냐는 민영의 말에 사장님은 들뜬 목소리로 받아쳤다.

"맨시티요. 맨시티."
"괜찮아요. 맨시티 이겨야죠."

민영의 대답도 건성으로 듣는지 사장의 눈은 손흥민의 얼굴로 향해 있었다. 손흥민은 중앙선을 넘어 상대

진영으로 달리고 있었다. 그 앞에는 수비수 3명이 있었다. 사장은 20분만 기다리면 된다고 엄지를 치켜들었다. 민영은 서비스로 치즈볼도 얻었다. 배달원들이 카운터 앞에 서있는 민영을 지나쳤다. 진로의 방해가 되지 않게 벽 쪽으로 붙었다. 아까부터 치킨을 바라보고만 있던 여자가 민영을 올려다보았다. 민영의 진상 레이더가 발동했다. 민영은 편견을 가지고 싶지 않다며 속으로 다른 생각을 떠올리려 애썼다. 전 세계 인구는 70억 아니 80억이다.

"저기요. 제 앞자리 비었거든요. 괜찮다면 앉으세요. 의자만 가져가셔도 돼요."

괜찮다고 고개를 좌우로 젓던 민영은 갑자기 우루루 몰려오는 포장 손님들과 배달원들을 피해서 여자 앞으로 떠밀렸다. 머쓱하게 엉덩이를 의자에 걸치자 여자는 테이블을 손바닥으로 탁탁쳤다. 민영은 여자의 행동이 불안해하는 자신을 어르는 것처럼 보였다.

"축구 좋아하세요?"
"아니요. 안 좋아해요."

고개를 크게 끄덕이던 여자는 다시 치킨을 바라보는데 집중했다.

"왜 보고만 있어요. 식어요."

"그게 이유가 있는데. 처음 보는 사람한테 할 말은 아닌 것 같아요." 퉁명스러운 여자의 목소리에 민영은 당황했다.

"네, 불편하시면 말 안 하셔도 괜찮아요."

"네, 제가 안 먹는 게 불편하시면 죄송해요."

민영은 여자와의 겸상이 부담스러워졌다. 주방에서 넘어오는 강한 기름 냄새에 한두 번 인상을 찌푸리기만 할 뿐 여자는 몇 분이 흘러도 먹지를 않았다. 토트넘이 역습 찬스를 잡으면 캐스터가 목소리를 높였다. 그 와중에도 배달 주문은 밀려들었으며 아르바이트생들은 분주하게 주문서를 가지고 갔다. 경기는 전반 추가 시간이었다. 하늘색 유니폼을 입은 선수가 경기장에 넘어져 있었다. 부상을 입은건지 종아리를 부둥켜안았다. 가게 사장은 나지막하게 '일어나라 이 새끼야'라고 말했다.

"저도 축구 잘 모르는데 토트넘 앰블러가 닭이예요. 싸움닭." 민영은 여자의 말에 어떻게 반응해야 하는지 눈치를 보다가 고개를 끄덕였다. "제가 싸움닭을 키웠어요. 이름이 휘슬이예요. 이제는 그만 싸우라고. 경기 종료하면 부는 호루라기 있잖아요. 휘슬"

여자는 핸드폰을 보여주었다. 정말 닭의 사진이 있었다. 일반적인 닭과 다르게 목이 아주 길고 꽁지 색도 화려했다. 검은색의 깃털이 달린 몸체는 은은하게 무지개빛이 돌았다.

"아 제 이름은 박선희이예요." 여자는 키득거렸다. 짧은 순간에도 여자의 기분이 휙휙 변하고 있었다.

어떻게 하다가 싸움닭을 키웠냐는 질문은 하고 싶지 않았다. 민영의 오래 쌓인 데이터로는 자기에게 먼저 말을 걸어오는 사람의 대부분은 외로운 사람이었다. 동주도 그랬었다. 선배의 부탁으로 나간 자리에는 입을 꾹 닫은 남자애가 있었다. 검은색 반팔 티셔츠에 청바지를 입은 동주는 어울리지 않게 딸기 라떼를 시켰다. 기분이 나빠 보인다는 민영의 질문에 눈을 동그랗게 뜨더니 어떻게 알았냐며 되려 놀랐다. 자기가 했었던 과제에 교수가 혹평했다는 말을 한 시간 동안이나 들어줬다. 다음날 소개팅은 어땠냐는 선배의 물음에 민영은 평소처럼 고객을 만난 기분이라고 답했다. 그리고 사흘 뒤에 동주가 적금 통장을 만들러 찾아왔다. 그리고 몇 분이 흐르고 나서 민영은 동주가 정말로 계좌를 개설하러 온 것이 아님을 알았다.

　그럼에도 민영은 그 질문을 해버렸다.

　"선희씨는 어떻게 해서 싸움닭을 키웠어요?"

　"아버지가 농장을 해요. 거기서 몰래 데리고 왔어요. 전 옛날부터 아버지의 그런 방식이 마음에 들지 않았거든요. 자기 방식으로 키워요. 제가 휘슬이보다 먼저 겪었으니까. 명절 때마다 불쌍해 죽겠어서 그냥 데려왔어요."

　"집에서 키우기가 힘들지 않나요?"

　"제가 사는 곳은 오래된 맨션인데 베란다가 바로 산이랑 이어져요. 냄새랑 똥치우는 게 빡세기는 해도 괜찮아요. 그리고 이것도 닭마다 다른 것 같아요. 휘슬이는 좀 점잖았어요." 민영은 선희의 점잖은 표정에 웃음이 터질 뻔했다. "아, 그리고 울음소리. 몇 번 신고가 들어오긴 했었는데 위층에 특이한 노인분이 사시거든요. 아침마다 닭 울음소리가 듣기 너무 좋다고 다른 이웃들을 막아주셨어요. 아파트 주인분이시거든요."

　"저도 보고싶어요. 점잖은 닭." 민영은 주방으로 눈이 갔다. 자기의 닭은 도대체 언제 튀겨지는걸까.

"그런데 저번 달에 죽었어요."

갑작스러운 부고 알림에 민영은 선희를 빤히 쳐다보았다. 하루에 한 시간씩 산책을 나가던 휘슬이는 운이 나쁘게 들개를 만났다. 싸움닭답게 휘슬이는 들개를 상대하다가 목이 비틀렸다고 선희는 설명했다. 민영은 사과했고 선희는 손사래를 쳤다.

"처음에는 그 들개새끼가 진짜 미웠는데. 그 개가 품종견이더라고요. 그게 무슨 말이냐면 사람이 버린 거예요. 그런 개들은 처음부터 들개로 태어날 수가 없어요."

꼬질꼬질한 개와 목이 비틀린 닭과 주저앉은 선희의 모습은 마치 컨셉이 다른 잡지의 사진을 콜라주한 것처럼 낯설었다. 축구 경기는 후반전을 달리고 있었다. 토트넘의 코너킥이 선언되자 사장님은 아예 자리를 잡고 앉아 관람하기 시작했다. 스코어는 1:0으로 토트넘이 지고 있었다.

"오늘로 세번째인데. 여기 온 거는 휘슬이가 아닌 다른 닭들은 어떻게 죽었나를 보기 위해서예요. 꽤 이기적이죠. 이 치킨을 보고 있으면 휘슬이는 꽤 괜찮은 삶을 살았다고 생각하며 자위하는 거죠. 근데 좀 위로가 되네요."

동물을 잃었다고 삼일장을 치루다니. 그제야 사장님이 선희를 이상하게 보지 않는 이유가 이해되었다. 분위기가 이상해지자 민영은 버릇처럼 화제를 돌렸다. 다행히 선희는 민영의 질문을 다 받아주었다. 선희는 스물여덟살이었고, 취업이 되지 않아 동사무소에서 기간제 근무를 하고 있었다. 가족들은 제주도에 살고 있고 귤은 좋아하지 않는다. 새벽 6시에 일어나 책을 읽고 출근을 한다. 점심시간은 주로 혼자 밥을 먹고 퇴근하면 휘슬이와 산책을 했지만, 지금은 혼자서 산책한다. 11시까지 공부를 하다가 졸리면 잠을 잔다.

"성실하시네요." 민영의 말에 선희는 푸흐흐하고 웃었다.

"휘슬이랑 있을 때는 더 성실했어요. 새벽마다 일어나서 똥 치우고, 냄새 안 나게 창문도 몇 시간마다 열어주고 일하다가도 굳이 집으로 와서 들여다봤어요."

"어떻게 그래요? 저는 죽어도 못할 것 같아요."

"닭이 눈앞에 있으면 하게 돼요. 그리고 예상보다 닭은 멍청하지 않거든요. 예전에 주임님이 저한테 닭대가리라고 한 적이 있어요. 민원인 화를 풀어준답시고 저를 일부러 크게 혼낸거예요. 그때 닭대가리라는 말을 듣고

울고 싶었거든요. 그런데 휘슬이는 영리했어요. 표현을
빌리자면 정말 영리한 닭대가리를 가졌어요."

세수를 하면 휘슬이는 수건을 물어다 주었고 선희가
심는 상추나 방울 토마토를 쪼아 먹지도 않았다. 벌레들
을 잡아주는 덕분에 상처 하나 없는 야채를 먹을 수 있
었다고 선희는 자랑했다. 민영은 점점 휘슬이의 이야기
에 빠져들었다. 그럴수록 주방에서 풍기는 기름 냄새가
역하게 느껴졌다. 누군가의 닭이 될 수 있는 닭들이 목
이 잘린 채 기름으로 나뒹구는 모습을 떠올리자 무서워
졌다. 애완닭과 식용닭의 경계는 어디서 오는 건지 민영
은 의문이 들었다.

토트넘의 프리킥이었다. 라이언 고슬링을 닮은 선수
가 골대를 노려보고 있었다. 닭의 벼슬처럼 서 있는 앞
머리가 민영의 눈에 들어왔다. 호루라기 소리가 들리자
선수는 코를 한번 만지고 공이 있는 방향으로 내달렸다.
오른쪽으로 곡선을 그리던 공은 골대로 들어갔고 관중
석에서 환호가 들렸다. 사장은 역시 케인이지라면서 자
리에서 일어나 한 손을 천정으로 높이 들었다. 경기는
이제부터 시작이라는 캐스터의 격앙된 목소리가 눅눅한

기름 냄새를 관통했다. 배달 주문을 알리는 소리가 정확히 7번 들렸고, 주문서가 빠르게 인쇄되었다. 주방의 경기는 이제부터 시작이었다.

민영과 선희의 대화도 시작이었다. 무슨 일인지 나오지 않는 치킨을 민영은 신경 쓰지 않았다. 그것보다 이 대화가 어떻게 이어질지가 궁금했으니까. 어차피 집에 가면 혼자 닭 다리를 뜯을 거고 그럴 바에 닭을 키운 사람과 있는 시간이 재밌게 느껴졌다. 이번에는 선희의 질문이었다. 민영은 은행에서 일한다며 자기를 소개했고, 선희와 동갑이라고 반가워했다. 출근으로 시작하는 자신의 하루는 퇴근하면 막을 내리는 터라 집에 오면 어떻게 시간이 흐르는지 모르겠다며 덧붙였다. 예전에는 연애를 하느라 꾸역꾸역 밖을 나갔는데 이제는 아니니 집에만 있게 된다며 하지 말아도 될 이야기도 쉽게 터져 나왔다.

"저도 성실했어요. 연애할 때는 정말 성실했다니까요."

닭이 쪼는 것처럼 민영의 명치가 따끔거렸다. 정말 민

영은 성실했다. 취준생인 동주에게 도움이 될까 아침에는 경제 뉴스를 스크랩해서 카톡으로 남겨주었다. 이율이 높은 상품을 매번 추천해줬고, 청년에게 혜택이 많은 카드도 알려주었다. 동주의 언니가 일본으로 여행을 갈 때는 엔화가 고점인 날에 환전을 대신 해서 가져다주기도 했었다. 퇴근하고 나서도 동주의 기분을 살폈다. 기가 죽어있을 때는 동기부여도 해주고 짜증도 다 받아주었다. 결혼을 바라고 이러는 거라면 부담이라는 동주를 앞에다 앉히고 아니라고 설명도 했었다. 미래를 담보로 하는 거라면 이미 질렸을 거라고. 지금도 민영은 동주가 모를 거라 확신했다. 생전 처음으로 만드는 적금 통장이니까 여기서 만들고 싶다는 말간 얼굴을 민영은 잊어버린 적이 없었다.

"저는 영리하지 않은 닭대가리인 것 같아요. 해달라는대로 다 해줬다니까요. 그 애가 이게 필요하겠다 싶으면 먼저 가져다줬고, 저게 필요하다 싶으면 갖다 바쳤다니까요. 제가 진짜 닭대가리예요."

순간 사장이 치킨이 나왔다며 민영의 앞으로 봉지를 들이밀었다. 고개를 푹 숙인 민영을 보던 선희는 봉지를 대신 받았다. 서비스로 치즈볼을 넣었다는 넉살 좋은 사장의 목소리에도 민영은 전혀 기쁘지 않았다. 훌쩍거리지 말라고 속으로 애원해도 닭똥 같은 눈물이 민영의 손등에 떨어졌다.

"민영씨, 고개 안 들어도 되니까. 잘 들어요. 저는 제가 성실하게 살았던 때보다 휘슬이를 성실하게 사랑했던 제가 제일 좋았어요. 전 치킨 진짜 좋아했거든요. 그런데 휘슬이 키우면서 닭요리는 쳐다보지도 않았어요. 그렇다고 베지테리언이 된 것도 아니예요. 제 사랑은 정말 편협했어요. 그런데 앞으로도 치킨은 먹지 않을 것 같아요. 아니, 어쩌면 육식을 못할 수도 있죠. 걔가 누군가의 닭이었을 수도 혹은 닭이 될 수도 있잖아요. 그건 오히려 휘슬이를 잃고 나서 알았어요."

축축해진 소매를 볼에 부비며 민영은 선희가 삼일이나 여기서 시간을 보낸 이유를 알 것 같았다. 다른 닭들의 죽음을 이용해 위로받으려던 선희는 깨달은 것이다. 영리한 닭대가리를 가진 닭이 자신의 인생을 뒤흔들어 놓았다. 그리고 인정해야 했다. 이제 그 닭은 없고, 자신만 남았다.

휘슬이 울리자 경기가 종료되었다. 결과는 토트넘의 승리였다. 경기가 끝나자 사장은 무섭게 채널을 돌렸다. 휘슬이가 생각나 치킨을 못 먹을 것 같다며 민영이 푸념했고, 선희는 그럴 필요 없다고 했다. 지금은 자기를 돌봐야 하니 먹어야 한다고 덧붙였다. 내일도 오냐는 민영의 물음에 선희는 아니라고 답했다. 목소리에서 상쾌함이 느껴졌다. 치킨과 치즈볼이 담긴 봉지를 들고 가게를 나왔다. 차가운 바람이 눈두덩이에 닿자 얼얼했다. 아직도 선희는 식은 치킨을 보고 있었다. 이제는 그 모습이 경건한 의식처럼 보였다.

집으로 돌아오니 아홉 시가 넘어있었다. 민영은 소파에 몸을 기대고 앉아 테이블 위에 놓인 치킨을 바라보았다. 그러다 눈을 감고 선희의 얼굴을 곱씹었다. 불현듯 동주를 증오하고 자신을 혐오했던 날들이 떠올랐다. 그리고 선희가 당부했듯이 상자를 열었다. 치킨이었다.

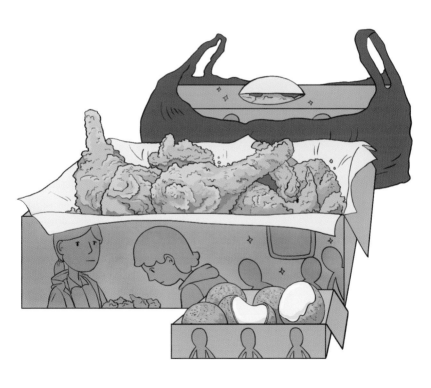

샌들과 장화의 상관관계

나만 알고 싶은 그런 집

※유사상품 주의

소설
김채리

떡볶이 4,000원

어묵꼬치 700원

※가격은 내용과 관계 없습니다.

전통시장 상품권 교환권
※수표시 말씀해주세요.

떡볶이에 대한 나의 기억은 꽤 오래전으로 거슬러 올라간다.

그날은 비가 왔다. 모서리가 닳은 진녹색의 보도블록이 사람들이 지나갈 때마다 밟히는 방향대로 뒤뚱거리며 움직였다. 곁가지가 잘린 은행나무가 돌덩이를 밀어 올린 탓에 인도는 편평했던 모습을 잃은 지 오래였다. 밟을 때마다 휘청거리는 낡은 돌길이 가만 보면 잔물결이 이는 강 같기도 했다. 블록 틈 사이에서 빗물과 흙먼지가 뒤섞여 새어 나왔다. 흰 운동화는 금방 더럽혀졌다. 장화가 갖고 싶었지만, 그건 나에게 맞지 않았다. 흰 양말이 축축하게 젖어 들었다. 지영을 떠올렸다. 정확히 말하면 샌들을 신던 지영의 맨 발가락이 함께 걷던 날이었다.

*

점심을 앞둔 수업이었다. 평가 범위에 들어간다는 담임 선생님의 채근에도 수업에 집중하는 이는 없었다. 1학기의 시험은 이미 끝났고 학생들의 관심은 이미

OMR카드를 벗어났다. 오늘 점심이 뭐였지? 탕수육? 짜장면? 요구르트? 멀지 않은 곳에서 아득하게 풍겨오는 급식의 향기에 모두 후각에 집중했다. 점심 종이 울리기 10분 전, 갑자기 비가 쏟아졌다. 서른 개의 시선이 창밖 어두워진 교정으로 향했다.

우산을 챙겨왔던가? 나는 운동장에 생긴 웅덩이를 바라보며 현관 앞 신발장에 두고 온 낡은 우산을 생각했다. 광택을 잃은 진한 나무 장의 홈에는 늘 4개의 우산이 걸려있었다. 그중 촌스러운 캐릭터가 그려진 핑크색 우산이 내 것이었는데, 옅은 배경색에 물 얼룩이 더해져 멀리서 보아도 쉽게 분간해 낼 수 있었다. 낡은 신발장 속 새 우산은 누구의 것도 아니었다. 어딘가의 상호가 석힌 판촉물은 우산을 잃어버리거나 고칠 수 없을 정도로 부러지지 않는 이상 비를 맞을 수 없는 물건이었다. 내 우산이 싫었다. 젖은 냄새가 나는 천 조각은 대와 연결된 부분이 약해져서 비가 샜다. 억지로 비를 맞는 바보 같은 우산이 싫었다.

하지만 그날 비를 맞은 것은 나였다.

할아버지! 우산 좀 갖다주세요.

엄마… 어디야?
아빠, 데리러 와!

공중전화기 앞에 길게 줄이 늘어섰다. 대부분 부모님을 부르는 전화였다. 수업이 끝나기도 전에 제 새끼를 찾아오기도 하고, 하교 시간에 맞추어 교문 앞을 지키고 있는 이도 있었다. 우산을 가져온 사람, 우산을 갖다준 사람, 우산이 필요한 사람. 나는 그 어느 쪽에도 속하지 않았다. 수업이 마치지 않으면 좋겠다. 차라리 모두 끝나지 않는 것이 나아. 아무도 기다리지 않는 교문을 나서기가 두려웠다. 의연한 눈빛과 꾹 다문 입술 속에 감춘 속마음이 새어나갈까 봐 고개를 푹 숙였다. 양 팔꿈치를 마주 잡아 만든 나만의 원 속에 불안한 마음을 가두었다.

비는 계속 내렸다. 방과 후 수업 교실에서 들려오는 피아노와 드럼 소리 모두 그친 후였다. 두껍게 쌓인 구름 때문에 시간을 가늠할 수 없었다. 저것들이 영영 걷히지 않으면 어떻게 하나, 어두운 하늘에 영원히 갇히는 상상을 하며 책을 덮었다. 눅눅한 공기를 머금은 표지는 문지르면 물기가 배어 나올 것 같았다. 강을 타고 헤엄

치는 이야기 속 소년의 모습이 눈앞에 일렁거렸다. 짧고 깊게 숨을 들이켰다. 수영을 하는 것도 아니면서 숨을 참고 중앙현관을 나섰다. 비는 차갑지도 따뜻하지도 않았다. 순식간에 젖어 들었다. 정수리부터 이마, 턱 끝을 지나 입고 있던 옷과 가방, 신발까지 흠뻑 적셔졌다. 뒤돌아설 틈도 없었다. 참았던 숨을 크게 토해냈다. 눈물이 나오진 않았다. 다만 울지 않으려고 애썼다. 축축한 얼굴이 나를 울리려고 애썼지만 슬퍼하지 않았다.

  발을 딛는 곳마다 낡은 보도블록이 들썩거렸다. 구부러진 블록 사이 틈으로 새어 들어간 빗물이 왈칵 새어 나왔다. 왈칵 왈칵, 뒤뚱 뒤뚱, 왈칵 뒤뚱 왈칵 뒤뚱… 흙탕물에 젖은 양말이 누런색으로 물들었다. 빗물이 가득 찬 신발이 제법 무거웠다. 찰박거리는 마찰음에 무게가 실렸다. 분홍색 장화가 생각났다. 장마가 시작되자마자 장화를 신고 온 친구가 있었다.

  주연이 넉넉한 형편에서 자랐다는 것은 생일파티 때문에 알았다. 마당에 깔린 잔디밭만 해도 생경한 풍경이었는데, 연못 속 분수대가 물을 뿜고 있었다. 주연의 어머니가 숨겨놓은 보물쪽지를 찾으러 다니는 아이들 틈 사이에서 나는 혼자 지붕을 올려다봤다. 높은 꼭대기에 걸린 햇빛이 너무 따가웠다. 얼굴을 찡그린 건 눈이 부셔서였다. 괜히 공주병이 있는 건 아니었군. 곁눈질로 바라본 주연의 눈에는 행복이 가득했다.

종아리까지 올라오는 분홍색 장화가 걔한테는 어울리지 않았다. 적어도 내 눈에는 그랬다. 주연을 따라 하는 여자애들이 많았다. 언제인가 모르게 유행이 된 장화를 갖고 싶어 하는 내가 싫었다. 그래도 우열을 가린다면 내가 한 수 위라고 생각했다. 주연에게는 그 장화가 어울리지 않아. 빨간 리본이 포인트로 새겨져 있는 장화는 연한 꽃분홍색이었다. 주연의 신발을 신은 내 모습은 어떨까? 집에서 학교까지 이어지는 긴 가로수길을 걷는 근사한 나를 상상했다. 문제는 어떻게 장화를 갖는지였다. 집에서 운동화나 슬리퍼 외에 다른 신발을 사줄 리 만무했다.

그래도 나는 꽤 욕심이 컸다.

큰엄마는 나쁜 사람은 아니다. 변명을 적당히 둘러대

면 마음이 동할지도 몰랐다. 그래도 여자애라고 어딜 다닐 때마다 나를 데리고 다니는 걸 좋아했다. 어머 딸이에요? 알은체하는 어른들 앞에서 얌전한 척 굴고 있으면 사은품을 챙겨주거나 용돈을 받기도 했다. 다만 사람이 몰리는 곳에 가는 일은 싫었다. 키가 큰 어른들 사이를 비집고 다니다 보면 진이 빠졌다. 길을 잃지 않으려고 정신을 바짝 차렸다. 그중에서도 시장은 제일 피하고 싶은 곳이었다. 어린이가 그곳에서 할 수 있는 일이라고는 앞서간 어른을 쫓는 것뿐이었다. 호객행위를 하는 상인들의 큰 목소리, 늘어진 테이프에서 흘러나오는 뽕짝의 리듬이 정신을 혼미하게 했다. 파는 물건도 파는 사람도 제대로 살필 수 없었다.

공포스러운 소음을 견디기로 한 이유는 생일이어서였다. 그래본 일도 없었지만, 떼를 쓰려던 건 아니었다. 선물에 대한 막연한 기대감이 있었다. 평소와 다른 마음으로 큰엄마를 따라나섰다. 잘하면 나도 장화를 갖게 될지도 몰랐으니까.

"큰엄마,"
"왜 그러니?"
"요즘 유행하는 게 있는데…"

하고 싶을 수록 더 말을 꺼내기 힘들었다. 평소에는 아무렇지 않게 하던 말도 발음이 부자연스러웠다. 막상 신발 가게 앞에 도착했을 땐 우물쭈물하기만 해서 장화의 'ㅈ'도 말하지 못했다. 신발가게 아주머니가 위아래로 나를 훑어보더니 운동화 몇 켤레를 보여주었다.

사이즈는? 이백십? 이백이십?
요즘은 흰색 운동화가 유행이야. 한 번 신어봐.
아니면 이런 것도 괜찮고.

아주머니가 건넨 흰 신발은 유명스포츠 브랜드의 카피 제품이었다. 얼핏 보기에는 티가 나지 않았지만 희다고 하기엔 잿빛에 더 가까워 묘하게 싼 티가 풍겼다. 싸구려 가죽 냄새가 나는 좁은 점포 안이 몹시 불편했다. 벽면을 가득 채운 신발들이 금방이라도 쏟아질 듯 위태롭게 느껴졌다. 두 어른의 시선을 피해 천정을 바라보았다. 입구와 떨어진 안쪽 선반에 장화 몇 켤레가 있었다. 나는 높게 쌓인 신발 상자 뒤에 숨어서 아주머니의 시선을 물리쳤다.

"저는… 장화요."

"장화? 그건 어른들이 신는 것밖에 없어. 저 봐. 일할 때 신는 거."

아주머니가 투박한 손길로 던지듯 검은 신발을 내려놓았다. 안쪽 면에 새겨진 꽃무늬 패턴으로 제작자의 감각을 짐작할 수 있었다. 내가 신을 만한 치수가 아니었다. 신고 싶지도 않았다. 이런 걸 신었다간 우스꽝스러워지기만 할 뿐이었다. 다시 운동화를 권하는 아주머니의 입김에 못이기는 척 신발을 신었다.

"잘 어울리네, 뭘."

결국 운동화를 샀다. 생일선물이라는 말은 하지 않았지만, 다가오는 생일에 따로 무언가 챙겨주진 않을 것이다. 그냥 그걸로 된 것 같았다. 이 정도면 됐다고 생각하는 것이 분명했다.

"수연, 우리 떡볶이 먹고 갈까?"

바닥만 보고 걷는 나를 큰엄마가 멈춰 세웠다. 간이

테이블에 마주 앉아 분식을 먹는 사람들이 보였다. 빨간 양념이 묻은 입술들이 길쭉한 떡에 열중해있었다. 그녀는 대답이 없는 것을 승낙의 의미로 받아들였는지 기울어진 플라스틱 의자에 나를 앉혔다. 어묵도 먹을 거지? 음식을 주문하는 뒷모습이 미웠다. 떡볶이면 될 거라고 생각하는 것 같아서.

"큰엄마,"

운동화는 필요 없어. 숨을 흡 들이켜고 말하려고 하던 참이었다. 우리 사이를 다른 어린 목소리가 파고들었다. 지영이었다.

"수연아!"
"지영아,"

나는 당황한 기색을 애써 감추며 지영이 선 쪽을 바라보았다. 어머니와 함께 온 듯했다. 두 사람은 손을 잡은 채 우리를 마주 보았다. 다른 한 손에는 장바구니를 들고 있는 지영의 어머니는 키가 작은 편이었다.

"나도 떡볶이 좋아해. 너 매운 것도 먹을 수 있어?"

지영은 잔꽃 무늬가 있는 노란색 블라우스에 청바지를 입고 있었다. 어울리지 않는 조합이라고 생각했지만 그런대로의 멋이 있었다.

"여기 떡이 맛있어. 엄청 쫄깃쫄깃해."
"응."

네 사람 사이 두 그릇의 떡볶이가 놓였다. 어묵꼬치가 담긴 종이컵에서 김이 모락모락 올라왔다. 나무젓가락을 뜯어주는 어른들의 손이 분주했다. 큰엄마가 지영이네 어머니와 알던 사이였던가? 언제부터인지 두 사람은 막역한 사이처럼 보였다. 칭찬인지 험담인지 알 수 없는 대화가 시끄럽게 오갔다.

"너 우리 동네에 있는 분식집 알아? 중학교 앞에 있는데 거긴 김밥을 튀겨서 줘. 김밥 튀김이래. 난 김밥은 별로 안 좋아하는 데 김밥 튀김은 좋아. 떡볶이 양념이랑 같이 먹으면 엄청 맛있어."

입안 가득 떡볶이를 우물거리며 신난 듯 말하는 지영은 학교에서와는 사뭇 다른 느낌이었다. 가까운 사이는 아니었지만 명랑한 모습의 지영이 낯설었다. 떡볶이는 맛있었지만 세 사람과 함께 있는 순간은 유쾌하지 않았다. 지영이 마지막 남은 떡 한 조각을 입에 넣었을 때, 눅눅한 공기를 가르고 비가 내리기 시작했다.

하늘이 금세 어둑어둑해졌다. 시장 상인들이 가판대에 내려놓았던 물건을 급히 치우기 시작했다. 장이 곧 끝날 시간이라 정리되는 분위기였지만, 급하게 빠져나간 인파들로 더 어수선해졌다. 우리가 앉은 좌판도 마찬가지였다.

"다 드셨어요? 나도 가봐야 해서….”

난처한 표정의 분식집 아주머니의 표정에 쫓겨나다시피 시장을 빠져나왔다. 지영의 어머니가 챙겨온 접이식 우산을 쓰고 버스정류장까지 걸었다. 나란히 선 지영은 나보다 조금 키가 컸다. 갑자기 집으로 돌아가게 된 것을 눈에 띄게 아쉬워하고 있었다.

"나 오늘 신발 샀는데. 이것 봐."

지영의 맨 발가락이 검정 샌들 안에서 꼼지락거렸다. 빗물에 젖어 모래 알갱이가 붙은 작은 발톱이 반들반들했다.

"비 오는 날에는 샌들 신는 게 좋아."

지영은 물웅덩이에서 발을 굴렀다. 다리에 닿는 시원한 감각을 만끽했다. 발을 세게 구르면 그만큼 물도 멀리 퍼졌다. 옷이 젖는 것을 염려한 어머니의 만류에도 개구진 얼굴을 저지할 수 없었다. 나는 지영을 바라보기만 했다. 새로 산 운동화가 젖을까 걱정되어 떨어져 걸었다. 이미 앞코가 젖은 신발은 환불하기에 늦어버린 상태였지만 조바심이 일었다.

"학교에서 보자!"

어머니와 버스에 올라탄 지영이 밝은 표정으로 손을 흔들었다. 다음에 김밥 튀김 같이 먹으러 갈래? 우리 동네로 놀러 와. 버스를 타기 전 새끼손가락을 거는 비장

한 목소리에 나도 모르게 고개를 끄덕였다. 물에 젖어 질퍽거리는 신발로 뒤돌아선 지영은 어떤 표정이었을까. 웃는 얼굴이었나? 아니면 학교에서처럼 침울한 표정이었을까? 여러 번 지영을 떠올려도 그 순간만큼은 기억나지 않았다.

*

"나도 신발 새로 샀어."

끝내 그 말은 하지 못했다. 지영은 다른 학교로 떠났고 나는 장화를 갖지 못했다. 비가 올 때마다 물에 젖은 샌들이 생각났다. 꺼진 보도블록 위, 수평을 맞추어 깊은 물웅덩이가 생겼다. 가로수 나뭇잎 사이로 떨어지는 비를 맞으며 그 속에 두 발을 담갔다.

짜장이냐 짬뽕이냐 그것이 문제로다

 단체 주문 환영
포장·예약 가능

※절취선※
세트메뉴 주문시
콜라 500ml 증정
※주문시
말씀해주세요.

짜장파: D
짬뽕파: K, H, P

*이번 장은 논쟁이나 분란을 일으키고자 하는 의도없이, 건전하고 맛있는 토론을 목적으로 기획되었음을 밝힙니다. 또한, 메뉴 선택에 있어서 조금의 보탬이 되었으면 하는 바람을 살짝 가미했습니다.

D: 짜장 짬뽕이요? 아 이건 고민할 필요도 없이 짜장이죠. 너무 쉽네요 짜장이냐 짬뽕이냐 물어보면 아마 90%는 짜장이라고 답할걸요?

H: 어라라, 죄송하지만 그 10%가 저입니다.

K: 저도 짬뽕이에요.

P: 저도 짬뽕에 한 표입니다.

K: 이런 D님, 벌써 75%가 짬뽕을 선택했네요. 대세는

이미 기울어진 것 같습니다. 어떻게 하실 거죠?

D: 매운 음식을 못 먹는 사람들한테 짬뽕은 가혹한 처사입니다. 먹을 수가 없어요. 그리고, 중국집하면 대표적으로 생각나는 메뉴가 뭔가요? 짜장이에요. 짜장이 근본입니다. 짜장은 중국의 춘장으로 만드니까 중국집에서 파는 게 맞아요. 근데 짬뽕은 어떤가요? 일본 음식이잖아요. 거기서부터 일단 근본이 아니라는 겁니다.

H: 저는 짜장면이 느끼해요. 물려서 한 그릇 다 먹기가 힘들어요. 저 같은 분들이 꽤 있더라구요.

K: 맞아요. 기름져요. 흠 잠깐! 여기서 고백을 하자면 저는 실은… 볶음밥 파입니다. 볶음밥을 시키면 짜장면 소스랑 짬뽕 국물을 같이 먹을 수가 있죠.

P: 엇 사실 저도… 역시 뭘 좀 아시는 분이시군요.

D: 아니 지금 짜장, 짬뽕 얘기를 하자고 해놓고, 무슨 소리십니까. 짜장 짬뽕에 진심인 사람이 저랑 H님 뿐이면 두 사람은 스파이인가요? 저는 당연히 다 짜장일 줄

알았는데… 실망입니다.

K: 생각을 해보세요. 중국집에 재방문하는 이유가 짜장면이 맛있어서가 아니에요. 짬뽕이 맛있거나 탕수육이 맛있을 때, 아 여기 맛집이네 하고 다시 가는 거지. 근데 짜장면이 맛있다?

D: 그건 개인 취향이잖아요!!! 이상한 논리로 반론을 펼치시네?

K: 짜장면은 당연히 잘해야 하는 거 아닌가?

D: 이휴… 치킨집노 우리가 근본을 찾잖아요. 후라이드! 짬뽕이 근본인 데는 짬뽕집이라고요. '중국집은 짜장이 근본'이라고 생각하기 때문에 '짬뽕집'이라는 가게가 역설적으로 나오는 거란 말이에요. 그럼 굳이 짬뽕집이라고 하겠어요? 자기를 중국집이라고 하지.

H: 중국집에 있으면 짬뽕이 튀지 않기 때문이라는 말씀이시군요.

D: 중국집이라고 하면 사람들이 대부분 짜장면을 생각하기 때문에 짬뽕집이라고 일부러 가게를 내는 거예요. 자신이 없으니까 그런거라구요.

K: 신박한 발상이네요. 왠지 모르게 논리적으로 들리는 것 같습니다.

D: 밀린다는 걸 이미 알고 있는거죠. 아니 뭐 밀린다는 건 아니더라도 부 메뉴, 부가적인 메뉴였으니까요.

H: 그렇네요, 탕수육도 요즘 가게를 따로 내더라구요.

K: 맞아, 요즘 탕수육 가게도 많이 생기더라구요. D님의 얘기를 들으니까 그런 생각이 드네요. 짜장면이 원래 근본이었고, 짬뽕이 뜨게 된 건 매운 음식이 사람들에게 각광을 받으면서 짬뽕의 물결이 새로운 흐름으로 부상하는 것이 아닌가 싶습니다. 어릴 적에는 짜장면밖에 안 먹었던 것 같아요. 짬뽕은 도전이었죠. 아빠가 먹는 매운 빨간 국물. 아빤 왜 저걸 먹을까.

P: 한 마디로 정리할 수 있겠네요. 짜장면은 중국집의

입문이고 짬뽕은 완성이다!

K: 짬뽕으로 완성된다!!

D: 너무 갔는데 갑자기? 당신은 볶음밥파잖아요.

P: 네 볶음밥파지만! 그렇지만, 볶음밥을 먹는 이유 중 하나는 짬뽕 국물이 있기 때문이란 말이죠.

K: 그러니까요. 두 가지를 다 만족할 수 있기 때문에, 한 가지 메뉴로 시작과 끝을 함께 한다고 볼 수 있겠네요.

P: 그리고 짬뽕집이 있는 이유는, 짜장면에 밀리거나 자신이 없어서가 아닙니다. 짬뽕이 짬뽕으로 무궁무진하다는 걸 보여줄 수 있기 때문에 짬뽕집이 생기는 거예요.

K: 무한 확장이 가능하군요.

P: 그렇죠. 무한 확장이 가능한 짬뽕의 유니버스, 짜장

면은 하나로 한정되잖아요?

D: 짜장면이 얼마나 많이 일하고 있는데요. 짜파게티도 나오고… 얼마나 고생하고 있는데!

K: 음, 짬뽕라면보다 짜장라면의 종류가 더 많긴 해요. 아, 근데 저는 짬뽕을 먹어보지 않은 분과 이 대화 자체가 성립할 수 없다고 생각합니다.

D: 아잇! 그건…

H: 근데 짬뽕 라면이 없다는 건, 짬뽕 본연의 맛을 구현해내기가 힘들어서 아닐까요?

D: 진짬뽕 있잖아요!

K: 짬뽕은 따라 하기 어려운 고귀한 음식이다! 불향은 라면으로 구현하기가 어렵죠.

D: 간짜장도 불맛 납니다! 짜장도 종류가 많아요. 간짜장도 있고, 철판짜장도 있고… 얼마나 종류가 많아. 그

리고 저도 하얀 국물 짬뽕은 먹어봤어요! 그리고 짜장면의 장점 중 하나가 면발이 쫄깃해요. 국물 없는 면을 좋아하시는 분이 있잖아요.

K: 물에 적신 음식을 싫어하는 사람도 있고.

D: 뭐 싫어한다기보단 안 먹는 사람도 있잖아요. 그리고 여러분! 일단 주제가 중국집이에요. 어릴 때부터 우리 중국집 가면 짜장면 찾았잖아요? 사회생활 할 때도 생각해봐요. 회사 점심시간에 중국집에서 배달시킨다고 했을 때, 부장님이 짜장 시켰는데 짬뽕시킬 수 있어요? 짬뽕이 더 비싼데? 그렇게 못하잖아요.

K: 이 사람 사회생활 열심히 했네.

D: 그만큼 짜장면이 가격도 싸고 편하게 먹을 수 있는 음식이죠.

P: 에이 눈치 보게 하는 음식이네요.

D: 아니죠. 다 같이 하나가 될 수 있는 음식이죠.

K: 짜장면으로 위 아더 원?

D: 그래서 이 이야기의 결론이 뭔가요?

K: 결론은… 없습니다.

D,H,P: 네?

K: 그런데 아까 좋은 이야기가 나왔죠. 우리는 짜장면으로 시작해서 짬뽕으로 귀결된다. 그리고 짬뽕은 무한확장이 가능하다.

P: 맞아, 맞아.

D: 아잇, 이런 짬뽕파들!

K: 아이 그러지 마시고 "우린 날 때부터 짜장면으로 태어났기 때문에 그걸 부정할 순 없다." 이 한 마디로 정리하겠습니다.

~보너스 페이지~

탕수육, 부을 것인가 찍을 것인가

찍먹파: P
부먹파: D, K, H

D: 부먹이냐 찍먹이냐… 뭐 전 아주 어릴 때부터 부먹이었어요. 탕수육은 사실 별로 신경 쓰지 않고, 전 돈가스를 먹을 때 좀 더 신경쓰는 편입니다.

K: 오, 돈가스는 부먹이신가요 찍먹이신가요?

D: 부먹입니다.

K: 부먹을 왜 선호하시죠?

D: '튀김의 바삭함을 살려야한다'고 하시는데 전 그게

잘 이해가 안갑니다. 찍어 먹으면 소스를 다 쓸 수가 없어요. 찍먹파들은 소스를 다 먹지도 않고 낭비하고 있단 말이죠. 그럼 음식물 쓰레기로 남아요. 근데 부먹들은 어때요? 다 먹어요.

K: 그쵸 왠만하면 남기지 않고 다 먹죠.

D: 찍먹들은 항상 다 남겨요. 그럴 거면 처음부터 조금만 가져 가지. 소스를 사발로 가져가 놓고 말이야. 중국집도 부어먹으라고 소스를 많이 챙겨줬을 텐데. 찍먹들은 요만큼밖에 안 먹어요. 그런 걸 탕수육 잘 먹었다고 할 수 없어요. 이건 중국집 사장님들께 예의가 없는 거란 말이에요.

K: 그치, 맞아. 엄청 많이 남아요.

D: 차라리 배달시킬 때 저 부먹입니다, 찍먹입니다. 얘기하고 소스 조금만 챙겨달라고 해야죠.

K: 환경을 위해서 소스를 조금만 챙겨달라 하는 것이 낫다는 말이네요.

D: 중국집 차원에서도 부먹인지 찍먹인지 파악해서, '아 이 사람 찍어 먹다가 남긴다'라는 걸 알 수 있게 해 줘야 한다고 봅니다. 저 진짜 진지하게 생각하고 있어 요.

K: 소신 있는 발언 해주셨네요. 당신의 신변 보호를 위 해 익명으로 처리해드리겠습니다.

P: 저도 한마디 해도 되겠습니까? 부먹도 쓰레기가 남 습니다. 똑같이 접시에 소스가 묻어도, 넘쳐서 결국 다 먹을 수 없습니다. 이건 부먹과 찍먹 관계없이, 소스는 남길 수밖에 없어요. 그렇게 치면 결국 둘 다 예의가 없 는 거겠네요. 이건 닝비의 문제가 아니라 바삭함이 핵심 문제입니다.

D: 아니에요. 생각을 해봐요. 손님이 탕수육 소스를 부 어서 먹는 걸 사장님이 보게 되면, 어 내 소스 다 썼네? 내 소스 쓸 용의가 있었구나? 근데 찍먹은 그냥 소스를 툭 찍어 먹습니다. 소스를 쓸 용의가 없어요. 먹으려는 성의라도 보여야 하는데…

K,P,H: (웃음)

D: 그냥 찍어 먹기만 해서, 사장님이 멀리서 보면 어떤 감정이 들겠어요. 뭐 이제는 사장님도 해탈하셨을 거예요. 저 찍먹들이 나타났다. 또 소스 엄청나게 남겠구나. 내가 이렇게 소스 열심히 만들었는데 그냥 찍기만 하고 가겠구나 하겠죠.

K: 사장님을 농락하는 거다?

D: 네! 사장님이 얼마나 슬퍼하겠어요.

K: 붓는 액션이라도 해서 먹었다는 느낌이라도 줘야 한다는 말씀이네요.

D: 예의가 바르잖아요. 그리고 한국 정서를 생각해봐요. 비빔밥만 해도 여러 가지 재료들을 같이 넣어서 섞어 먹잖아요.

K: 아, 한국 음식 중에 섞어 먹는 것들이 많긴 하죠.

D: 그쵸, 반대로 일본 음식 생각해봐요. 다 찍어 먹잖아요. 일식 돈가스가 소스를 찍어 먹어요. 이건 일본 문화입니다. 찍어 먹는 건 한국 문화가 아니에요. 한국식은 부어서 나오는 게 맞아요.

K: 원래는 부어서 먹는 게 맞죠. 중국집에 가서 탕수육을 시키면 보통 버무려져서 나오니까요.

D: 이연복 셰프도 부어서 준다고 하더라구요. 그게 맛있으니까. 그게 근본이니까.

K: 근본을 많이 찾으시네요.

D: 어느 순간부터 사람들이 찍먹을 하더라구요. 예전에는 다 부어서 줬는데. 에휴…

K: 탕수육 소스를 부어먹는 사람들 때문에 중국 집 사장님들이 자기 뜻을 펼치지 못하고 있군요.

D: 네, 저는 정말 안타까운 문화라고 생각합니다.

K: 제가 소신 발언해도 되겠습니까? 저는 사실… 소스에 담가 먹는 파입니다.

H: 어! 저도 담가 먹어요.

K: 그럼 그 중간의 맛을 느낄 수 있어요.

H: 그 사이에서 양립할 수 있는 거죠.

K: 맞아요. 미리 담가 놨다가, 눅눅해지기 전에 꺼내 먹어요.

P: 흠 저는 그렇게 생각합니다. 소신발언? 좋아요. 좋은데! 담먹? 그것도 찍먹의 발전된 모습라고밖에 볼 수 없겠네요. 어차피 찍어서 먹는 거잖아요. 찍은 뒤에 내 취향에 맞춰서 조절해 먹는 거니까 결국은 찍먹이죠.

K: 담먹도 찍먹이다라는 말씀이시죠?

H: 근데 샤브샤브를 찍어 먹는 음식이라고 하진 않잖아요?

P: 샤…브샤브를 찍어서 먹는다고 하진 않지만! 흠, 적셔서 먹는다고 표현하고 싶군요.

K: 적셔먹…?

P: 어쨌든 소스에 찍어서 먹는 거니까, 찍먹의 발전형이라고 볼 수 있겠네요.

K: 흠 그렇군요. 혹시 근본파 D님은 이에 대해서 어떻게 생각하시나요?

D: 솔직히 얘기해도 될까요? 일식 돈가스 집에 가면 소스를 아주 조금 줍니다. 샤브샤브처럼 담가서 못 먹는단 말이에요.

K: 아, 그렇네요.

D: 일식 돈가스도 조금씩 찍어 먹는단 말이죠. 일식 돈가스가 소스를 이렇게 왁! 하고 담가 먹진 않잖아요. 그건 부어 먹는 거나 마찬가지예요. 그래서 담가 먹는 건 부어 먹는 쪽에 더 가까워요.

K: 오 의견이 엇갈립니다.

D: 일식 돈가스처럼 작은 그릇에 소스를 담가주면 그건 내가 인정을 하겠어요. 근데 탕수육 이건 뭐 커다란 통에 소스를 담아주니까.

K: 아, 소스의 양이 많기 때문에 이건 찍는 수준이 아니다라는 거군요.

D: 네, 일식 돈가스 수준으로 작은 그릇에 주면 제가 인정하겠어요.

P: 일식 돈가스 집도 소스 더 달라고 하면 큰 데 줘요!

D: 아이, 그래도 탕수육은 큰 통에 준다고요. 크게! 부어 먹으라고 준건데, 사람들이 일식돈가스처럼 찍어 먹고 있어요.
K: 찍는 거였으면 애초에 작은 그릇에 줬겠네요.

D: 그쵸. 저는 이런 제도가 생겨야 한다고 생각해요.

K: 제도…!(웃음)

D: 제도적으로 저는 찍먹입니다. 일식 돈가스 소스 정도의 그릇에 담아주세요. 그럼 중국집 사장님이, '아 이 녀석, 찍먹에 진심이구나', 하잖아요.

P: 아 근데 봐요. 내가 부먹을 하다가 탕수육이 남았어. 소스가 부어진 탕수육을 다음날 먹는다고 생각해봐요. 얼마나 눅눅하겠어요? 근데 찍어 먹는다고 생각하면 애초에 소스가 좀 남아 있죠. 찍지 않은 탕수육이 남아 있단 말이에요. 이건 내가 다음날 에어 프라이기에 돌려서 바삭바삭하게 한 다음에 소스에 찍어 먹을 수 있어요.

D: 이 사람 그런 식의 논리로라면 후라이드 치킨만 먹어야겠네. 양념치킨 먹을 수 없어요!

P: 양념치킨은 부먹이 아니고…

D: 이미 소스 다 찍어 나오잖아요.

K: 이야 돈가스와 치킨을 이렇게 적절하게 비유해서 표

현하다니…

D: 양념치킨도 다음날 먹으면 눅눅해져요. 그래도 사람들은 양념치킨 또 찾잖아요.

P: 양념치킨은 그 다음 날이 맛있어요 원래.

D: 엇 그런데 어딨어요.

P: 아 진짜 그런 거 있어요. 양념치킨은 그 다음 날이 맛있다고. 근데 탕수육은 그 다음 날 맛 없어요.

D: 맛있는데요? 맛있게 먹는데요? 개인 차 아닌가요? 하지만 환경의 시간은 다릅니다. 지구의 시간이 얼마 남지 않았습니다.

K: 환경주의자셨군요.

P: 아 그럼 소스 남은거 포장해달라고 해서 집에서 조리해 먹으면 되잖아요.

D: 그래 본 적 있나요?

P: 하면 되죠! 하면 되지!

K: 자자, 맛의 보존을 위해서 찍어 먹어야 한다고 하셨고, 환경을 위해서 부어 먹는 것이 맞다라고 하셨습니다.

D: 그리고 사장님의 마음! 기억해주세요.

K: 저도 찍어 먹기만 하면 소스의 맛을 충분히 음미할 수 없어서 담가 먹거든요? 어린 시절을 생각해보면 저도 처음엔 부어 먹었어요. 근데 어느 순간 이 논쟁이 생기기 시작해서, 탕수육을 찍어 먹게 되었고 어머니가 부어 먹기 눈치 보이니까 소스 그릇에 탕수육을 몇 개 넣어두기 시작했어요. 그걸 제가 꺼내먹으면서 담가먹이 시작됐습니다. 따지고 보면 근본은 부먹이 맞지만, 배달 음식을 자주 먹은 바쁜 현대 사회인의 생활 모습에 맞춰진 형태가 찍먹이 아닌가 싶네요.

P: 그리고 원래는 탕수육이 부먹이 아니라, 소스를 튀김

이랑 같이 볶아서 자작하게 만들어져 나와요. 차라리 그런 거면 먹겠어. 부먹은 소스가 골고루 묻는 것도 아니야, 어딘 눅눅하고 어딘 바삭하고…

K: 부어 먹게 할 거였으면, 차라리 양념치킨처럼 소스랑 같이 조리해서 나와야 한다는 거죠?

H: 꿔바로우 같이?

P: 맞아요.

D: 샤브샤브도 그럼 다 볶아서 먹어야겠네요. 소스에 절인 맛으로 먹으려면, 그래야겠네요.

H: 근데 저는 경양식 돈가스를 좋아해서, 샐러드도 자작하게 소스를 해서 먹기 때문에 부먹에 가깝습니다. 굳이 나누자면.

K: 맞아 씨리얼도 눅눅한 게 맛있더라구요. P님… 우시는 거 아니죠?

P: 이 사람들이랑 겸상 못하겠네.

K: 만약에 우리 넷이 회식하러 갔어요. 근데 저희 셋이 탕수육 소스를 부어버려요. 그럼 어떻게 하실 건가요? 그냥 나가나요?

P: 하… 그럼 소스가 다 묻지 않은 부분만 골라 먹겠습니다. 뭐 붓는다고 화를 내진 않아요. 그런 사람들 있잖아요. 소스 붓는다고 극단적으로 화를 내는 사람들. 전 그러진 않아요. 근데 난 쳐다보지 않는다.라고 해두죠.

H: 그럼 담가 먹는 사람들은 어때요?

P: 담가 먹는 건 괜찮아요. 저도 가끔 먹다가 너무 바삭하다 싶으면 담가놨다가 먹기도 하니까. 근데 이건 어찌됐건 찍먹의 발전형이다. 부먹에 가깝지 않다!라는 것을 기억해주셨으면 좋겠습니다.

K: 마지막 발언 감사합니다. 그럼 모두의 평화를 위해서 담가 먹기 운동을 전파하는 것으로 이번 시간 마치도록 하겠습니다.

당신은
쌈장파입니까
기름장파입니까?

단체 주문 환영
포장·예약 가능

기름장: P
쌈장: D, K, H

D: 소수파 의견 먼저 들어보죠. 3:1이니 배려해드리겠습니다.

P: 다들 먹어보셔서 아시겠지만, 고기를 먹을 때 쌈장을 먹으면 고기 맛이 잘 느껴지지 않습니다. 그리고 '쌈장'은 이름에서부터 알 수 있듯, 쌈을 싸먹을 때 먹는 장이죠. 즉, 쌈이 주인공이라는 말입니다. 고기를 먹을 때 굳이 쌈장을 먹을 필요가 없다는 말과 일맥상통하죠. 고깃집가면 기본적으로 나오는 장이 기름장인 이유가 다 그런데 있어요. 고기의 본연의 맛을 해치지 않고, 오히려 고소한 맛을 더 살려주잖아요? 말이 길어졌는데, 한 마디로 고기를 먹으면서 쌈장을? 굳이? 라는 생각이 드네요.

K: (실소) 굳이…? 그 표현 굉장히 위험한데요? 이 글을 전국의 삼겹살인들이 볼 수도 있습니다.

D: 치킨에 치킨무, 스파게티에 피클이 있는 것처럼 고기를 먹을 때도 꼭 곁들여 먹는 사이드 메뉴가 있어야 합니다. 상추라던가 깻잎이라던가… 쌈을 싸먹는데 기름장에 찍는다? 맛이 전혀 안나죠. 쌈장이어야만 사이드와 같이 먹었을 때 온전히 그 맛이 납니다. 밸런스에 있어서 쌈장이 절실하다고 생각합니다. '나 여기있어!' 라고 맛의 균형을 잡아주는 역할이 필요하단 말이죠.

P: 쌈에 쌀 때 맛이 안 느껴지기 때문에 기름장에 찍지 않는다? 그건 아닌 것 같아요. 전 그래도 고기는 기름장에 찍거든요. '나 여기있어!'라고 하셨나요? 그 말은 쌈장의 존재감이 너무 도드라져서 고기를 먹는 느낌이 나지 않는다는 거군요.

H: 저는… 쌈장에 진심인 사람입니다. 쌈장파도 그냥 쌈장파가 아니라 쌈장을 위한 파라고 할 수 있죠. 회 먹을 때 초장맛으로 먹는 사람이 있는 것처럼 저는 쌈장을 좋아합니다. 굳이라는 표현을 여기다가 빌려쓰자면, 저는 쌈이 없어도 쌈장을 찍어 먹습니다. P님이 쌈장에 찍으면 고기 본연의 맛을 흐트러트린다고 하셨지만, 저는 그 쌈장을 위해 먹는 사람입니다.

77

K: 새로운 시선이네요. 쌈장이 맛있긴 하죠.

P: 아니, H님 의견이라면 '나는 쌈장을 먹기 위해서 고기를 먹는다'라는 거잖아요…!

H: 맞아요. 고기는 곁들이는 거죠.

P: 난 쌈장을 먹고 싶은데, 마땅한 매개체가 없으니 고기를 약간 곁들이겠다. 그렇게 나는 쌈장을 먹겠다는 거죠?

H: 그런 사람도 있다, 라는 걸 말씀드리는 겁니다.

P: 그럼 혹시 소고기를 먹을 때도 쌈장에 찍어 드시는 건가요?

H: 네, 그렇죠.

K: 에?

D: 어?(웃음)

H: 그래서 제 다리가 맨날 부어있죠. 나트륨쟁이라고나 할까요. 흠흠…

K: 나트륨쟁이!(웃음) P님, 쌈장에 이렇게 진심인 분에게 기름장을 어떻게 어필하실 건가요. 고기 본연의 맛을 어떻게 지키시겠습니까?

P: 아니 제가 논리로 이길 방안이 없긴 한데. 다들 기름장에 찍어서 드셔보시긴 하셨어요?

K, H: 먹어봤죠. 먹어는 봤어요.

H: 아 근데, 기름장도 맛이 세요. 쌈장만큼!

P: 너무 센 기름장을 드신 건 아닐지… 적당한 기름장이 있는데, 너무 센 기름장을 드셨네요.

H: 혹시 비율이 있나요? 이를테면 기름장 황금 비율이라던가.

P: 기름이 많고 소금이 조금 들어간 건 소고기, 기름이

적고 소금이 많으면 돼지고기와 잘 어울립니다. 간만 될 정도로 살짝만 찍어 먹으면 맛있어요. 고기 구울 때 소금을 치지 않고 기름장으로 간을 맞춰 먹으면, 짜지 않고 맛있어요.

D: 그렇게 먹기 때문에 덜 짜다는 거죠? 그럼 쌈장도 마찬가지 아닐까요?

P: 아니 그게 아니라 기름장은 원래 살짝만 찍어 먹는 거고, 쌈장은 많이 찍어 먹잖아요.

D: 아, 알겠어요. 저 지금 뭐가 문제인지 파악했습니다. P님은 '찍먹파'고 K님과 H님 두 분은 '적셔먹는파'잖아요 다시 말해 '부먹파'셨죠. 애초에 태생부터 다른 거였어요. P님은 맛이 조금만 느껴지는 걸 선호하는 거고, 다른 두 분은 소스 맛이 선명한 게 좋은 거죠.

P: 아, 그러니까 여러분들은 음식 본연의 맛을 해쳐서 먹는군요. 음식 그 자체의 맛을 즐기지 못하는 거예요.

H: 아니, 아니에요. 쌈장의 조화가 있어요. 고기와 쌈장

의 조화를 좋아하는 거지 해쳐 먹는 게 아닙니다
.

P: 그게 대체 어떤 조화죠?

H: 쌈장이 그냥 그 자체로 맛있지 않나요? 쌈장도 여러 가지 재료를 많이 넣어서 먹으면 쌈장 단독으로도 충분히 맛있어요.

D: 맞아맞아. 그냥 밥 비벼 먹어도 맛있죠. 근데 기름장은 느끼하잖아요. 삼겹살도 이미 기름이 많아서 느끼한 음식인데 기름장까지 찍어버리면… 그래서 자연스럽게 쌈장에 끌리게 되는 게 아닐까요. 오래 먹으려면 역시 쌈장이죠.

P: 여러분들! 지금 뭔가 착각을 하는 것 같은데, 그건 고기 본연의 맛으로 먹는 게 아니라 '고기를 먹을 때 나는 쌈장의 맛을 느끼고 싶어서 쌈을 싸는 거고' 쌈장을 묻혀서 먹는 거라니까요?

K: P님의 말대로 고기 본연의 맛을 느끼고 싶으면 아무 것도 안 찍으면 되지 않나요?

P: 뭘 모르는 소리 하시네. 진짜 미식가들은 고기 향을 극대화하기 위해서 기름장을 먹는다고요.

K: 그래도 저는 설득되지 않았습니다. 아직 제 마음 속에는 쌈장 온리 원. 내 최애는 쌈장입니다.

P: 하⋯ 어쩌면 아직 진짜 참된 기름장을 만나지 못해서일지도 모르겠군요.

D: 어, 저희 어머니 기름장 무시하시는 건가요? 지금 발언 굉장히 위험한데요?

P: 기름장을 한 번 재해석해서 드셔보십시오. 제가 레시피를 알려드리겠습니다.

H: 근데⋯ 고깃집에 가도 쌈장을 리필해서 드시는 분은 봤어도, 기름장을 리필해서 드시는 분은 못 봤어요. 그만큼 쌈장을 먹는 사람들이 많다, 쌈장이 대세다.라는 걸 반증하는 게 아닐까요?

P: 그건, 쌈장이 고기 찍어먹을 때만 먹는 게 아니라 쌈

을 먹을 때도 먹으니까 그런 거죠! 기름장을 리필하지 않는 이유는 쌈장처럼 듬뿍 찍어 먹는 게 아니라 맛만 더해줄 정도로 살짝 곁들여 먹기 때문이라고요.

K: 쌈장을 그렇게 많이 찍어 먹는 이유는 쌈장이 더 맛있어서가 아닐까요?

P: 고기 먹는데 느끼하니까, 막말로 나는 고기 맛은 모르겠고 쌈장이 먹고 싶으니까 쌈장을 많이 찍어 먹는다! 그런 소리군요.

D: 사장님이 이렇게 상추를 깻잎을 많이 챙겨주시는데 어떻게 쌈을 안 먹습니까? 사장님의 그 마음을 생각해야죠.

K: 사장님의 마음! 여기서 또 등장하네요.

P: 쌈을 안 싸서 먹는다, 그래도 쌈장에 찍어 먹을 건가요?

H: (바로)네.

K: 쌈장 맛으로 먹는 건데.

H: 쌈은 뭐 굳이 없어도 상관없지만, 쌈장은 없으면 안 되지 않을까요?

K: 친구들이랑 여행갈 때, 고기 구워 먹잖아요. 그때 마트에서 쌈장을 사지 기름장을 사지 않잖아요.

P: 쌈장은 쌈을 싸먹기 위해서 사는 거니까 그렇죠. 쌈장이라는 단어가 '쌈'과 '장'의 합성어라구요. 분명 장을 볼 때 쌈싸먹을 채소도 사셨을 겁니다. 그러니까 쌈장을 샀던 거죠.

K: 채소는 사실 많이 안 먹었어요. 지금 와서 고백하지만…

H: 그럼 그런 말도 되잖아요. 기름장이 굳이 필요하지 않다. 쌈장만으로도 다 보완할 수 있다.

P: 쌈장은 내가 구매를 해야 하지만, 기름장은 어딜가든 쉽게 재료를 구해서 만들 수 있잖아요. 저는 굳이 쌈장

을 내 돈내고 구입해가면서 나트륨을 섭취해야 하는가 모르겠네요.

D: 아니! 기름장도 소금이잖아요!

P: 그러니까! 여러분 간과하시면 안되는 게, 기름장을 먹을 때 탕수육 드실 때처럼 적셔 드시면 안 됩니다. 살짝 '찍어서' 먹는 거예요.

(그 뒤로도 의견이 좁혀지지 않아 결국 각자의 길을 가기로 했다)

~보너스 페이지~

식사는 어떤 걸로 하시겠어요?
된장찌개? 냉면?

냉면파: H
된장찌개파: K, D, P

H: 냉면을 먹는 사람은 완전히 식사를 마치고 나서 먹는 거지만, 된장찌개를 먹는 사람은 중간중간 먹지 않나요? 진짜 후식의 개념은 냉면이 아닐까 합니다만. 된장찌개는 중간에 곁들여 먹는 식사죠.

K: 그럼… 냉면은 밥이 아니라 디저트네요?

P: 그러네요 K-디저트 냉면!

D: 일단 밥이 더 싸요. 냉면? 비쌉니다. 밥은 한 1,000

원? 1,500원이면 추가할 수 있죠. 메뉴 통일하는 데 부장님이 아주 좋아하실 겁니다. 냉면은 갑자기 7000원으로 뜁니다.

H: 아니! 부장님 카드니까 냉면으로 먹어야죠.

D: 오… 제법인데?

K: 이때다! 지금 아니면 못먹는다! 라는 거로군요.

P: 사실 예전엔 냉면파이긴 했어요. 저는 친구들이랑 밥 먹으러가면 고기를 남겨놨다가 식사 메뉴를 시키거나, 고기를 1~2인분 정도 더 시켜서 마무리하는 느낌으로 먹었습니다. 저도 냉면이 최상인줄 알았던 시절이 있었죠. 근데 냉면은 자칫 잘못하면 입을 버리는 수가 있더라고요.

D, K, H : 아…(일동 탄식)

P: 고깃집인데 뭐 냉면까지 잘할 필요는 없겠지만은 고깃집의 냉면은 맛이 없는 곳도 많습니다. 그래서 냉면을

먹지 않게 되었고. 이제는 밥을 먹습니다.

D: 본연의 맛을 중요하게 여기시는군요. 근본파랑 본연파가 또 이렇게 나뉘네요.

K: 아 그러네, 못하는 걸 먹을 바에는 차라리 그냥 안전빵으로 밥을 먹겠다. 합리적인 선택입니다. 그런데 당신은 지금 냉면파였다는 얘길 하는 걸 보니⋯ 변절자였군요.

P: 아, 예전에 냉면 파였다라는 말입니다. 하지만 밥파로 마음을 돌린지 이미 오래됐어요.

D: 확실히 냉면도 잘하는 집이 있고 못하는 집이 있으니⋯ 어렵긴 하네요.

K: 저는 H님이 쌈장을 먹기 위해 고기를 먹는다고 하신 것처럼 된장찌개를 먹기 위해서 고기를 먹는 사람이기 때문에, 냉면은 제 고기 인생에서 거의 없습니다.

D: 아잇, 왜 계속 사이드를 노리시나요.

H: 확실히 냉면을 잘하는 고깃집보다 된장찌개를 잘하는 곳이 훨씬 많은 것 같아요.

D: 어, 지금 설득 되신 건가요?

H: 네, 뭐 그렇네요.

K, D, P: (웃음)

H: 경험이 생각났어요. 아 맞아 나도 그때 그랬지, 그래 가지고 입을 버렸던 기억이 있었지(아련)

D: 어, 결론 났나요?

K: 아 결론이 난 거 같네요. 안전을 위해서 냉면 대신 된장찌개를 먹는 것으로, 냉면은 냉면집에서 먹는 것으로 종결하겠습니다.

배달 음식의 미래를 조망하며 쓰는 글

김채리

빅데이터, 메타버스, 인공지능… 한 가지에 익숙해지기도 전에 등장하는 다른 것들이 우리의 삶을 숨 가쁘도록 재촉한다. 아무것도 하지 않고 쉬는 것조차 뒤처지지 않을까 염려하는 시대에 배달 음식은 선택이 아닌 필수가 되어버렸다. 최근 배달 업계에서 준비하는 신사업 중 하나로 '로봇 사업'이 있다. '배달 음식이 웬 로봇?'이라 생각할 수도 있겠지만 많은 식당이 키오스크, 서빙 로봇 등을 사용하며 이미 디지털화되고 있다. 이제 서빙뿐만 아니라 배달까지도 로봇이 대체할 수 있도록 기술 개발이 이어지고 있는데, 현재 수준으로는 여러 문제가 있긴 하지만 우리가 의식하지 못하고 있는 곳에서 변화가 시작되었음은 틀림없다. 로봇 배달원이 문 앞에 음식을 놓고 갈 날이 그리 멀지 않았다.

이 책에서 '배달 음식', '음식 배달'만을 이야기하지는 않았다. '배달 어플'이 있기 전에 '배달 책자'가 있었지만, 본래는 만들어 먹고 식당에 가서 먹었을 때만 느낄 수 있는 '맛 이외의 것'이 있었다. 예컨대, 음식을 요리할 때는 장을 보러 가고, 신선한 재료를 고르고, 재료를 알맞은 크기로 손질하고, 원하는 정도로 양념하고 보기 좋게 그릇에 담는 일련의 과정이 있다. 반대로 식당에 간다고 하면 먹고 싶은 메뉴를 고르는 시간, 식당을 찾아 가는 여정, 인기가 많은 점포라면 기다리는 시간까지가 '먹는 경험'에 포함된다. 그런데 배달 음식은 이 모든 것이 생략된다.

변화를 부정하려는 것은 아니다. 아마 우리가 원하지 않는다고 하더라도, 배달 음식은 더 일상화될 것이다. 어쩌면 식당에 가서 음식을 먹는 일마저 희귀한 경험이 될 수도 있다. 이미 우리는 배달의 시대에 와 버렸고 빠른 속도와 간편함에 길들어지고 있다.

배달 음식을 통해 새로운 문화가 만들어졌다. 배달책도 그 중 일환이라 볼 수도 있겠다. 인터넷에서 배달 음식에 대한 논쟁 글을 본 일이 있을 것이다. 이를테면 별점 테러로 난처함을 겪은 자영업의 하소연, 터무니없는 가격과 양으로 질타받은 식당의 후기, 먹기도 전에 음식을 쏟아버렸다는 안타까운 사연, 급식 지원을 받는 아동에게 선의를 베풀어 돈쫄내주려는 사람들의 주문이 폭주했다는 이야기… 어딘가의 게시판에서 비슷한 내용의 글을 본 기억이 있다면 당신은 틀림없이 한국의 배달 음식 문화에 익숙한 사람이다.

그렇다면 배달 음식의 미래는 어떻게 될까. 일이 너무 바쁘거나, 음식을 할 여건이 되지 않을 때, 어쩔 수 없이 배달 음식을 찾을 수밖에 없는 순간이 있다. 또 나만의 공간에서 편안하게 쉬고 싶을 때는 빠르고 편리한 배달 음식이 그렇게 고마울 수가 없다. 배달 음식을 부정하고 싶은 것은 아니다. 다만 우리가 원래 알고 있는 음식 본연의 가치, 그리고 배달이 지나치게 과잉 공급되었을 때 발생하게 되는 사회적 문제를 잊지 말자고 말하고 싶다.

배달책은 어쩌면 더 간편하게, 더 빠르게 가자고 이끄는 세상에서 한 걸음 물러서는 움직임일지도 모르겠다. 오랜만에 배달 음식을 시켜 먹자는 말이 나왔을 때, 배달 책자를 여러 권 늘어놓고 가족들과 다 함께 메뉴를 고민하던 그때 그 시절의 추억을 다시 떠올리고 싶은 소박한 마음을 담았다. 전화번호부가 더 익숙한 세대도, 배달책자를 아예 모르는 세대도 있겠지만 이 책이 새로운 추억이 되길 바란다. 그리고 가끔 배달 음식 주문 대기시간이 너무 길 때 꺼내서 읽어주었으면…

주최/주관: 김채리(김채윤)

후원: 한국문화예술위원회

이 도서는 한국문화예술위원회 2023년도 청년예술가생애첫 지원 사업을 지원받아 제작되었습니다.

맛 집
야식편

초판 1쇄 발행 2023년 6월 14일

지은이 김채리, 나봄, 현소희
삽화가 초밥
펴낸 곳 위아파랑
블로그 https://blog.naver.com/weareparang
전자우편 weareparang@gmail.com
인스타그램 @weareparang
ISBN 979-11-983229-2-0 (04810)
         979-11-983229-9-9 (세트)
세트가격 14,000원

"비 오는 날에는 샌들 신는 게 좋아."

지영은 물웅덩이에서 발을 굴렀다. 다리에 닿는 시원한 감각을 만끽했다.
발을 세게 구르면 그만큼 물도 멀리 퍼졌다. 옷이 젖는 것을 염려한
어머니의 만류에도 개구진 얼굴을 저지할 수 없었다.
나는 지영을 바라보기만 했다. 새로 산 운동화가 젖을까 걱정되어
떨어져 걸었다. 이미 앞코가 젖은 신발은 환불하기에 늦어버린
상태였지만 조바심이 일었다.

_샌들과 장화의 상관관계, 김채리

값: 14,000원(세트로만 판매)

ISBN 979-11-983229-2-0
ISBN 979-11-983229-9-9 (세트)

읽다가 살쪄도 책임지지 않습니다.

@weareparang